中华人民共和国电力行业标准

变电工程施工组织大纲设计导则

Design guidelines for construction organization general outline of substation

DL/T 5520—2016

主编部门：电力规划设计总院
批准部门：国 家 能 源 局
施行日期：2017年5月1日

中国计划出版社

2016 北 京

国家能源局

公告

2016年　第9号

依据《国家能源局关于印发〈能源领域行业标准化管理办法(试行)〉及实施细则的通知》(国能局科技〔2009〕52号)有关规定，经审查，国家能源局批准《煤层气集输设计规范》等373项行业标准，其中能源标准(NB)66项、能源/石化标准(NB/SH)29项、电力标准(DL)111项、石油标准(SY)167项，现予以发布。

上述标准中煤层气、生物液体燃料、电力、电器装备领域标准由中国电力出版社出版发行，煤制燃料领域标准由化学工业出版社出版发行，煤炭领域标准由煤炭工业出版社出版发行，石油天然气领域标准由石油工业出版社出版发行，石化领域标准由中国石化出版社出版发行，锅炉压力容器标准由新华出版社出版发行。

附件：行业标准目录

国家能源局

2016年12月5日

附件：

行业标准目录

序号	标准编号	标准名称	代替标准	采标号	批准日期	实施日期
……						
169	DL/T 5520—2016	变电工程施工组织大纲设计导则			2016-12-05	2017-05-01
……						

前　言

根据《国家能源局关于下达2012年第一批能源领域行业标准制(修)订计划的通知》(国能科技〔2012〕83号)的要求,标准编制组经调查研究,认真总结施工组织大纲方面设计工作经验,并在广泛征求意见的基础上,制定本标准。

本标准主要技术内容是:总则、术语、一般规定、大纲设计说明、施工场区总平面布置、施工力能供应、主要施工方案及大型机具配备、交通运输条件和大件设备运输、施工综合进度。

本标准由国家能源局负责管理,由电力规划设计总院提出,由能源行业火电和电网工程技术经济专业标准化技术委员会负责日常管理,由中国电力工程顾问集团中南电力设计院有限公司负责具体技术内容的解释。执行过程中如有意见或建议,请寄送电力规划设计总院(地址:北京市西城区安德路65号,邮政编码:100120)。

本标准主编单位、主要起草人和主要审查人:

主编单位: 中国电力工程顾问集团中南电力设计院有限公司
湖北省送变电工程公司

主要起草人: 王　元　谢元俊　许维明　李　峻　刘启柏
陈国荣　孙晓萍　刘　刚　祁　利　季　斌

主要审查人: 张　健　张智勇　叶锦树　田恩东　冉　巍
杜庆春　刘　辉　冯志勇　胡　懿　陈利华
董　明　谭至谦　袁　泉　王文臣　吴志明
唐蔚平　高　英　王仁宝　杨国利　齐悛发

目　　次

1　总　　则　……………………………………………………（1）
2　术　　语　……………………………………………………（2）
3　一般规定　……………………………………………………（3）
3.1　报告组成　…………………………………………………（3）
3.2　初步可行性研究阶段　……………………………………（3）
3.3　可行性研究阶段……………………………………………（3）
3.4　初步设计阶段………………………………………………（3）
3.5　地区分类　…………………………………………………（4）
4　大纲设计说明　………………………………………………（5）
4.1　工程概况　…………………………………………………（5）
4.2　设计依据　…………………………………………………（5）
4.3　设计范围　…………………………………………………（5）
4.4　设计内容　…………………………………………………（5）
5　施工场区总平面布置　………………………………………（6）
5.1　设计原则　…………………………………………………（6）
5.2　设计内容　…………………………………………………（6）
6　施工力能供应　………………………………………………（8）
6.1　设计原则　…………………………………………………（8）
6.2　施工用水设计内容　………………………………………（8）
6.3　施工用电设计内容　………………………………………（9）
6.4　施工通信设计内容　………………………………………（10）
7　主要施工方案及大型机具配备　……………………………（11）
7.1　主要施工方案………………………………………………（11）
7.2　大型机具配备………………………………………………（11）

8 交通运输条件和大件设备运输 …………………………………… (13)
8.1 交通运输条件…………………………………………………… (13)
8.2 大件设备运输…………………………………………………… (13)
9 施工综合进度 ……………………………………………………… (14)
9.1 施工工期设计原则 ……………………………………………… (14)
9.2 施工工期设计内容 ……………………………………………… (14)
9.3 施工工期建议指标 ……………………………………………… (14)
本标准用词说明 ……………………………………………………… (16)
引用标准名录 ………………………………………………………… (17)
附:条文说明 ………………………………………………………… (19)

Contents

1 General provision ………………………………………………… (1)
2 Terms ………………………………………………………… (2)
3 General provisions ………………………………………… (3)
3.1 Parts of the report ………………………………………… (3)
3.2 Prefeasibility study ……………………………………… (3)
3.3 Feasibility study ………………………………………… (3)
3.4 Preliminary design ……………………………………… (3)
3.5 Area classification ………………………………………… (4)
4 Desing description ………………………………………… (5)
4.1 Project overview ………………………………………… (5)
4.2 Design basis ……………………………………………… (5)
4.3 Design scope ……………………………………………… (5)
4.4 Design conten …………………………………………… (5)
5 General layout of construction site …………………… (6)
5.1 Design principles ………………………………………… (6)
5.2 Design content …………………………………………… (6)
6 Construction energy ……………………………………… (8)
6.1 Design principles ………………………………………… (8)
6.2 Construction water ……………………………………… (8)
6.3 Construction electricity ………………………………… (9)
6.4 Construction communication ………………………… (10)
7 The main construction scheme and large machinery ……… (11)
7.1 The main construction scheme ………………………… (11)
7.2 Large machinery ………………………………………… (11)

8 Transportation condition and large-scale equipments transportation ······ (13)
8.1 Transportation condition ······ (13)
8.2 Large-scale equipments transportation ······ (13)
9 Integrated construction progress ······ (14)
9.1 Project overview of construction time limit ······ (14)
9.2 Design content of construction time limit ······ (14)
9.3 Construction time limit proposed index ······ (14)
Explanation of wording in this code ······ (16)
List of quoted standards ······ (17)
Addition: Explanation of provisions ······ (19)

1 总　　则

1.0.1 为了规范变电工程施工组织大纲的设计范围和设计内容，使设计水平与当前施工实际水平相匹配，覆盖初步设计内容深度要求，制定本标准。

1.0.2 本标准适用于220kV及以上变电站、换流站、开关站、串补站的施工组织大纲的设计。

1.0.3 本标准规定了变电工程施工组织大纲设计的原则和深度。

1.0.4 变电工程施工组织大纲的设计除应执行本标准规定外，尚应符合国家现行有关标准的规定。

2 术　语

2.0.1 施工组织大纲　the outline of construction organization

施工组织大纲是工程设计文件的组成部分，是工程项目施工任务从设计到竣工交付使用期间，对施工活动进行的计划、组织、控制的纲要性设计文件。

2.0.2 施工力能　construction energy

指工程施工期间，施工建设需要的用水、用电、通信等需求的统称。

2.0.3 施工区　construction area

指工程施工期间用于施工相关活动的场地。

3 一般规定

3.1 报告组成

3.1.1 施工组织大纲设计报告根据设计阶段分为初步可行性研究阶段、可行性研究阶段和初步设计阶段。

3.2 初步可行性研究阶段

3.2.1 初步可行性研究报告中交通运输部分应说明站址周围的铁路、水路和公路的现状，规划情况和运输条件，大件设备运输方案的初步设想，必要时委托有资质的单位对大件设备运输进行专题论证。

3.3 可行性研究阶段

3.3.1 可行性研究总报告中应编制“项目实施的条件和建设进度及工期”章节，内容包括施工主要场地、材料条件，施工力能引接的设想，大件设备运输的可行性以及项目实施的建设进度计划和工期。可行性研究阶段内容深度应符合现行行业标准《输变电工程可行性研究内容深度规定》DL/T 5448 的规定。

3.4 初步设计阶段

3.4.1 初步设计总报告中应编制“施工条件及大件设备运输方案”章节，内容应包括以下 6 个方面的内容：设计说明、施工区总平面布置、施工力能供应、主要施工方案及大型机具配备、交通运输条件和大件设备运输及施工综合进度等。其内容深度应符合现行行业标准《变电工程初步设计内容深度规定》DL/T 5452 的规定。

3.5 地 区 分 类

3.5.1 本导则各项指标涉及地区分类的，按地区气象条件差异分为四级，分别适用于四类不同地区，施工地区分类符合表3.5.1的规定。

表3.5.1 施工地区分类表

地区		省、市、自治区名称	气象条件	
类别	级别		每年日平均温度≤5℃的天数(d)	最大冻土深度(cm)
Ⅰ	一般	上海、江苏、浙江、安徽、江西、湖南、湖北、四川、云南、贵州、广东、广西、福建、海南、重庆	≤94	≤40
Ⅱ	寒冷	北京、天津、河北、山东、山西(朔州以南)、河南、陕西(延安以南)、甘肃(武威以东)	95～139	41～109
Ⅲ	严寒	辽宁、吉林、黑龙江(哈尔滨以南)、宁夏、内蒙古(锡林郭勒市以南)、青海(格尔木以东)、新疆(克拉玛依以南)、西藏、甘肃、陕西(延安及以北)、山西(朔州及以北)	140～179	110～189
Ⅳ	酷寒	黑龙江(哈尔滨及以北)、内蒙古(霍林郭勒市及以北)、青海(格尔木及以西)、新疆(克拉玛依及以北)	≥180	≥190

注：1 西南地区(四川、云南、贵州)的工程所在地如为山区，施工场地特别狭窄，施工区域布置分散或年降雨天数超过150d的可核定为Ⅱ类地区。

2 Ⅰ类地区中部分酷热地区，当气温超过37℃的天数达到一个月，可核定为Ⅱ类地区。

3 气象条件以当地气象部门提供的资料为准。

4 地区分类所依据气象条件的两个指标必须同时具备。

5 低类别地区中有气象条件符合高类别条件的地区的应核定为高类别地区。

4 大纲设计说明

4.1 工 程 概 况

4.1.1 应对工程项目情况，客观建设条件、施工环境等项目设计的基础条件进行阐述。

4.1.2 应说明工程建设性质，本（期）工程建设规模和规划容量。

4.1.3 应说明工程站址的地理位置及距主要城镇的距离。

4.1.4 应说明站址地形地貌、自然地形标高、坡度、站址用地性质和有无拆迁。

4.2 设 计 依 据

4.2.1 应包括已签订的设计合同、已签订的其他与工程有关的协议及合同、已批准的工程设计文件及有关图纸、相关设计专业拟定的当前设计阶段工程设计方案及国家、行业有关规程、规范及标准等。

4.3 设 计 范 围

4.3.1 应说明承担的工程设计范围。

4.4 设 计 内 容

4.4.1 应说明本工程设计的基本情况，按系统简介本期建设的工程项目及其特点。包括建（构）筑工程、设备安装工程等和主要工程量。应说明场地平整大型土石方、钢筋混凝土、金属结构、建（构）筑物等本期工程量和面积及主变压器（换流变）、配电装置等主要设备型号、参数等。

5 施工场区总平面布置

5.1 设 计 原 则

5.1.1 施工区总平面布置应在本设计阶段推荐的站区总平面布置基础上编制，包括施工场地的规划，交通运输的组织，各种施工临建、施工机具等的规划布置内容。

5.1.2 施工总平面布置应当统一规划、紧凑合理、符合流程、方便施工、节省用地、安全文明。应当充分利用可以利用的社会资源。

5.1.3 施工场地原则上宜利用站内建设间隙地合理布置使用，不另外租地，当已征场地占用率较高，必要时可以在附近租用部分临时用地。

5.1.4 施工区总平面布置应尽量减少二次搬运，减少运输距离，并明确土建和安装施工场地的合理分区。

5.1.5 施工区总平面布置应满足节水，节电，节能、节地和环境保护的相关要求。

5.2 设 计 内 容

5.2.1 施工区总平面布置应说明施工生产区及生活区的布置情况，划分的各个区域的位置、功能和用地面积。

5.2.2 变电（换流）站的施工生产区可划分为土建作业与堆放场、安装作业与堆放场、仓库区及办公区等。各区应以交通运输线为纽带，按工艺流程和施工方案的要求作有机联系的布置。

5.2.3 施工区的划分应符合下列规定：

1 搅拌系统及砂石料场的布置应考虑减少砂石等在站内运输距离，土建作业场地可在站内安装作业开始前，在配电装置场地灵活布置；

2 安装作业场地可在相关配电装置和主变压器建设场地附近就近布置设备堆场和组合场；

3 当工程围墙内用地不能满足施工要求时，可在附近租用部分土地供建设期间使用。若需要站外租地，宜靠近进站道路和站区围墙，宜用于施工办公区、生活区和仓库用地。施工生产区其他用地仍宜在工程围墙内解决。

5.2.4 施工道路的布置应符合下列规定：

1 站区内施工道路宜根据“永临结合”的原则进行布置。永临结合的道路路基除应满足永久道路的设计要求外，还应满足施工的特殊要求；

2 施工道路一般采用泥结碎石路面或混凝土路面。永临结合的主干道路面，考虑到施工期道路的损坏情况，一般先浇筑一层混凝土路面，在工程后期按路面设计标高再进行二次浇筑；

3 站内施工道路干线的位置应与工程永久道路的布置一致，各施工区应有道路连接，应满足消防要求；

4 通过大件运输车辆的弯道半径根据实际使用车辆的要求确定。

6　施工力能供应

6.1　设 计 原 则

6.1.1　施工力能供应主要包括施工用水、施工用电、施工通信等内容。施工力能应本着满足施工需要，节约社会资源，简化系统、节约成本的原则予以考虑。

6.2　施工用水设计内容

6.2.1　施工现场的供水量应满足生产用水和生活用水的综合最大需求量。

6.2.2　施工水源方案应根据水源的种类、水质及水源地到施工现场的距离等因素经技术经济比较后确定方案。在条件允许时，宜“永临结合”，以节省投资。当采用“永临结合”方案时，应要求提前铺设站区生产、生活用水永久管道至站区内。

6.2.3　当水源或外网的供水能力小于施工现场的最大用水量时，应设置水池及升压泵房。水池容积应根据调节贮水量及消防贮水量的大小确定，寒冷地区的水池应有防冻措施。

6.2.4　施工用水单项工程的设计范围为：从取水点至施工临时供水母管、临时供水升压泵房进水侧取水贮水设施和输水管线，包括临时给水泵房至临时贮水池（塔）的配套设施和输水管线。

6.2.5　施工高峰用水量宜符合表6.2.5的规定。

表6.2.5　施工高峰用水量

变电（换流）站电压等级（kV）	高峰用水量（t/h）
220	10
330	15
500	20

续表 6.2.5

变电(换流)站电压等级(kV)	高峰用水量(t/h)
750	25
1000	30
±500	20
±800	30

6.3 施工用电设计内容

6.3.1 施工现场的供电量应满足施工生产用电及生活用电的综合最大需求量。

6.3.2 施工电源供给方式应根据地区条件及施工现场的情况而定。在条件允许时,宜"永临结合",以节省投资,当采用"永临结合"方案时,应要求提前建设施工站区外站用电永久设施,待工程投产后再交付运行。当站用电源施工工程量较大,无法满足工程施工工期需要时,可考虑单独引接施工临时电源。

6.3.3 施工电源单项工程的设计范围为:从电源点至施工降压变6kV~10kV 的配电装置(或开关站)高压侧止。

6.3.4 施工总用电量宜符合表 6.3.4 的规定。

表 6.3.4 施工高峰用电量

变电(换流)站电压等级(kV)	高峰用电负荷(kW)
220	400
330	450
500	480
750	800
1000	800
±500	480
±800	800

6.4 施工通信设计内容

6.4.1 施工通信应从当地电信部门通信引接点引接至施工现场，当需新建线路时，宜按“永临结合”的方式架设考虑。施工现场宜采用有线电话，移动电话和无线通信结合的方式解决施工通信需求。

7 主要施工方案及大型机具配备

7.1 主要施工方案

7.1.1 主要设计方案的设计应符合下列原则：

1 施工组织设计大纲应拟定对整体工程项目起关键作用施工项目的施工初步方案，以保证工程项目的设计方案从施工角度切实可行；

2 主要施工方案包括土建主要施工方案、安装主要施工方案以及特殊施工措施方案等。

7.1.2 主要施工方案设计应包括下列内容：

1 应包括场地平整、地基处理及基础施工、施工降水、基坑防护的方案；

2 应说明主要建(构)筑物的施工方案；

3 应说明变压器、平波电抗器等主要设备的安装方案；

4 应说明冬雨季施工措施和方案；

5 应说明所采取的特殊施工措施方案及要求。

7.2 大型机具配备

7.2.1 大型机具配备设计原则：应综合考虑现场安全、质量、进度及文明施工的各方面要求，兼顾适用性和经济性，满足工程需要。

7.2.2 大型机具配备设计应包括下列内容：

1 应根据工程进度要求、设备最大单件重量、设备组合吊装方式、吊车覆盖的吊装范围及场地条件等因素综合考虑配备符合工程建设需要的大型机具；

2 主要施工起重机械配置可参考表 7.2.2-1～表 7.2.2-3 的规定执行。

表 7.2.2-1　220kV 变电站工程主要施工机械配备参考表

序号	机械名称	工作能力	数　　量	备注
1	汽车吊	8t～16t	2～3	
2	汽车吊	25t～50t	1～2	
3	混凝土搅拌机	$15m^3$～$25m^3$	1	
4	升降机		1～2	

表 7.2.2-2　330kV、500kV 变电站及±500kV 换流站工程主要施工机械配备参考表

序号	机械名称	工作能力	数　　量	备注
1	汽车吊	8t～16t	2～3	
2	汽车吊	25t～50t	2～3	
3	混凝土搅拌机	$15m^3$～$25m^3$	1	
4	升降机		1～2	

表 7.2.2-3　750kV、1000kV 变电站及±800kV 换流站工程主要施工机械配备参考表

序号	机械名称	工作能力	数　　量	备注
1	汽车吊	8t～16t	2～3	
2	汽车吊	25t～50t	2～3	
3	汽车吊	75t～100t	1～2	
4	混凝土搅拌机	$15m^3$～$25m^3$	2～3	
5	升降机		2～3	

8 交通运输条件和大件设备运输

8.1 交通运输条件

8.1.1 交通运输条件应说明站址附近的铁路、公路、水路运输概况，铁路车站、港运码头以及施工道路的设置及运输条件。

8.2 大件设备运输

8.2.1 应说明主要大件设备运输参数，包括主变压器(换流变)、电抗器等主要大型设备的运输尺寸、运输重量、设备台数及生产厂家。

8.2.2 应根据工程所在位置编制大件运输方案，必要时应由有资质的单位编制大件设备运输方案专题研究报告。

8.2.3 应根据工程运输方案及大件运输的专题研究报告计算大件运输措施费。

9 施工综合进度

9.1 施工工期设计原则

9.1.1 施工综合控制进度是为协调全部施工活动的纲领。施工组织大纲确定的是变电工程项目总体进度的施工综合进度，应根据项目建设条件、施工技术、建设单位要求等主客观因素的前提下在符合科学、合理和文明施工的基础上进行设计。

9.2 施工工期设计内容

9.2.1 施工组织大纲设计编制的施工综合进度深度应满足总体施工控制进度要求，内容应以工程计划投产日为依据，包括对各主要环节的综合进度安排，应从施工准备开始到本项目建成为止，反映出各主要控制工期、建设里程碑和关键节点的工期控制目标。

9.2.2 工期控制主要节点是施工进度控制的关键，土建、安装、调试作业的安排应以确保控制节点的实现为目标。

9.3 施工工期建议指标

9.3.1 变电工程项目的施工进度安排可按表 9.3.1 编制。

表 9.3.1 新建变电(换流)站工程施工工期参考表

序　　号	地区类别	项目名称	工期(月)
1-1	Ⅰ类地区	220kV	10
1-2	Ⅱ类地区	220kV	10
1-3	Ⅲ类地区	220kV	11
1-4	Ⅳ类地区	220kV	12
2-1	Ⅱ类地区	330kV	12
2-2	Ⅲ类地区	330kV	13

续表 9.3.1

序　　号	地区类别	项目名称	工期(月)
2-3	Ⅳ类地区	330kV	14
2-4	Ⅰ类地区	500kV	16
3-1	Ⅱ类地区	500kV	16
3-2	Ⅲ类地区	500kV	18
3-3	Ⅳ类地区	500kV	18
4-1	Ⅱ类地区	750kV	16
4-2	Ⅲ类地区	750kV	18
4-3	Ⅳ类地区	750kV	20
4-4	Ⅰ类地区	1000kV	30
5-1	Ⅱ类地区	1000kV	30
5-2	Ⅲ类地区	1000kV	32
5-3	Ⅳ类地区	1000kV	32
6-1	Ⅰ类地区	±500kV	20
6-2	Ⅱ类地区	±500kV	20
6-3	Ⅲ类地区	±500kV	22
6-4	Ⅳ类地区	±500kV	22
7-1	Ⅰ类地区	±800kV	24
7-2	Ⅱ类地区	±800kV	24
7-3	Ⅲ类地区	±800kV	26
7-4	Ⅳ类地区	±800kV	26

本标准用词说明

1 为便于在执行本标准条文时区别对待，对要求严格程度不同的用词说明如下：

1）表示很严格，非这样做不可的：

正面词采用“必须”，反面词采用“严禁”；

2）表示严格，在正常情况下均应这样做的：

正面词采用“应”，反面词采用“不应”或“不得”；

3）表示允许稍有选择，在条件许可时首先应这样做的：

正面词采用“宜”，反面词采用“不宜”；

4）表示有选择，在一定条件下可以这样做的，采用“可”。

2 条文中指明应按其他有关标准执行的写法为：“应符合……的规定”或“应按……执行”。

引用标准名录

《输变电工程可行性研究内容深度规定》DL/T 5448—2012

《变电工程初步设计内容深度规定》DL/T 5452—2012

中华人民共和国电力行业标准

变电工程施工组织大纲设计导则

DL/T 5520—2016

条 文 说 明

制 定 说 明

《变电工程施工组织大纲设计导则》DL/T 5520—2016，经国家能源局2016年12月5日以第9号公告批准发布。

本标准编制的主要原则如下：

1. 编制工作按国家住房和城乡建设部《工程建设标准编写规定》(建标〔2008〕182号)的要求进行；

2. 导则内容划分以国家能源局发布的《变电工程初步设计内容深度规定》DL/T 5452—2012对施工组织大纲部分的相关要求为基准，对应设计深度要求制定本导则以指导设计单位相关专业初步可行性研究，可行性研究及初步设计阶段的设计文件编制工作；

3. 根据国内近年建设变电工程的设计施工情况，以工程实际调研情况为依据，形成本导则；

4. 编制过程贯彻执行国家的有关法律、法规、标准和规范；

5. 加强与现行相关标准之间的协调。

为便于广大设计、施工、科研、学校等单位有关人员在使用本规范时能正确理解和执行条文规定，编制组按章、节、条顺序编制了本规范的条文说明，对条文规定的目的、依据以及执行中需注意的有关事项进行了说明。但是，条文说明不具备与标准正文同等的法律效力，仅供使用者作为理解和把握标准规定的参考。

目　　次

1　总　　则 ……………………………………………………… (25)
3　一般规定 ……………………………………………………… (26)
4　大纲设计说明 …………………………………………………… (27)
　4.2　设计依据 …………………………………………………… (27)
5　施工场区总平面布置 ………………………………………… (28)
　5.1　设计原则 …………………………………………………… (28)
　5.2　设计内容 …………………………………………………… (28)
6　施工力能供应 ………………………………………………… (29)
　6.2　施工用水设计内容 ……………………………………… (29)
　6.3　施工用电设计内容 ……………………………………… (29)
　6.4　施工通信设计内容 ……………………………………… (29)
7　主要施工方案及大型机具配备 …………………………… (30)
　7.1　主要施工方案 …………………………………………… (30)
　7.2　大型机具配备 …………………………………………… (30)
8　交通运输条件和大件设备运输 …………………………… (31)
　8.2　大件设备运输 …………………………………………… (31)
9　施工综合进度 ………………………………………………… (33)
　9.2　施工工期设计内容 ……………………………………… (33)
　9.3　施工工期建议指标 ……………………………………… (33)

1 总　　则

1.0.2 涵盖目前我国主要变电工程电压等级，标准适用的最小电压等级为220kV，编制过程中选用220kV、330kV、500kV、1000kV及±500kV和±800kV新建工程作为代表，其他电压等级变电工程可参照执行。

3 一 般 规 定

3.5.1 1997年原电力工业部颁发的“电力工程项目建设工期定额”中将地区分类确定为四类，之后颁布的“电力建设工程工期定额”沿用了该地区分类方法。在调研具体情况的基础上本标准也采用该分类办法。

4 大纲设计说明

4.2 设 计 依 据

编制施工组织大纲应明确相关设计依据。相关设计合同、协议、文件和其他专业的设计方案均是施工组织大纲的设计基础。

5 施工场区总平面布置

5.1 设计原则

5.1.1 施工组织大纲只对工程总平面布置推荐方案做相应施工场区总平面布置，并为工程初步设计概算提供计算依据。其他工程总平面对比方案不做施工区总平面布置设计。

5.2 设计内容

5.2.2 考虑各地环境、条件、施工方法的差异，施工区的划分类别可作为参考并不要求强制统一。

5.2.3 各施工区的位置根据工程实际总平面布置确定，本条中布置原则可作为参考，并不强制要求遵守。

3 工程项目站内规划用地较大时，施工生产和生活区的布置一般都在围墙征地范围内解决，随着近年国家对征地审批的严控，变电工程的总平面布置也本着节约用地的原则在不断优化，从收集的资料看来，有相当部分的工程需要在征地范围外租用部分土地作为施工期间使用，所以对需要临时租地的情况作了原则性的要求。

5.2.4 本条是关于施工道路布置的规定。

1 站区施工道路采用“永临结合”的原则可以降低施工费用，对有施工特殊要求的道路路基，要加强与相关设计专业的沟通，确定设计方案。

4 目前大件运输车辆种类繁多，承载重量从100t级到400t级，各种车辆性能不同，所要求的弯道半径也不一样，所以要求根据实际情况确定。

6 施工力能供应

6.2 施工用水设计内容

6.2.2 因项目施工条件差异较大,“永临结合”方案是在条件允许的情况下宜选择的方案,当条件不允许时并不作强制要求。

6.2.3 施工现场贮水设施应根据现场实际情况而定,因现场供水条件不同,个体情况差异较大,故本条只作定性描述而不作定量指标规定。

6.2.4 施工组织大纲设计的施工用水方案是供变电工程建设概(预)算计列工程费用之用,所以根据《电网工程建设预算编制与计算标准》设计范围包括工程临时设施费以外的工程量,具体为场外供水管道及装置,水源泵房,施工、生活区供水母管。其设计方案仅供计工程量列费用而不能作为施工依据。

6.3 施工用电设计内容

6.3.2 因项目施工条件差异较大,“永临结合”方案是在条件允许的情况下宜选择的方案,当条件不允许时并不作强制要求。

6.3.3 施工组织大纲设计的施工用电方案是供变电工程建设概(预)算计列工程费用之用,所以根据《电网工程建设预算编制与计算规定》设计范围包括工程临时设施费以外的工程量,具体为施工、生活用 380V 变压器高压侧以外的装置及线路(不含 380V 降压变)。其设计方案仅供计工程量列费用而不能作为施工依据。

6.4 施工通信设计内容

6.4.1 根据目前电信解决方案,施工通信宜直接向当地电信部门报装,由电信部门结合工程永久通信需求统一解决。施工现场可采用多种通信方式结合的形式解决通信需要。

7 主要施工方案及大型机具配备

7.1 主要施工方案

7.1.1、7.1.2 施工组织大纲所制定的施工方案，主要作用是从施工的角度判断设计方案是可以实施的，具体的施工方案需要施工单位在施工组织总设计中根据自身的能力和机具配备来最终确定。所以这里的主要施工方案不可能完全符合项目的建设实际情况，而是对施工方案初步的拟定。其内容深度按照《变电工程初步设计内容深度规定》DL/T 5452—2012 第 14.1.4 条～第 14.1.5 条的内容确定。

7.1.2 4 特殊施工措施有些是可以预知的，但有些可能是施工过程中才能发现的，这里指可以预见的特殊施工措施，主要包括非常规的设计方法需要特殊方法施工的以及特殊的施工环境中需要采取特殊技术、安全、环境措施的施工项目等。

7.2 大型机具配备

施工机械的配备要根据项目建设的需要，施工企业的自有资源和社会资源来确定，施工组织大纲编制时，项目施工单位尚未确定，所以无法确定最终使用的施工机具。设计人员应根据项目情况说明为完成本工程建设任务，建议施工单位自行配备的大型起重运输机具。编制组根据调研，总结了各等级变电工程主要施工机具配置数量，可参见表 7.2.2-1～表 7.2.2-3。

8 交通运输条件和大件设备运输

8.2 大件设备运输

8.2.1 根据现行电力行业标准《电力大件运输规范》DL/T 1071—2014 对电力大件的解释，“电力大件”指电源和电网建设生产中的大型设备及构件，其外形尺寸或质量符合下列条件之一：

(1)长度大于 14m 或宽度大于 3.05m 或高度大于 3.0m；

(2)质量在 20t 以上。

电力工程的大件运输范围，按装载运输轮廓尺寸和质量可分为四级，按其长、宽、高及质量四个条件之中级别最高的确定。具体划分见表，电力大件分级标准。

表 1 电力大件分级标准

电力大件等级	设备长度(m)	设备宽度(m)	设备高度(m)	设备重量(t)
一级电力大件	14≤长度＜20	3.5≤宽度＜4.5	3.0≤高度＜3.8	20≤质量＜100
二级电力大件	20≤长度＜30	4.5≤宽度＜5.5	3.8≤高度＜4.4	100≤质量＜200
三级电力大件	30≤长度＜40	5.5≤宽度＜6.0	4.4≤高度＜5.0	200≤质量＜300
四级电力大件	长度≥40	宽度≥6.0	高度≥5.0	质量≥300

根据相关文件的规定，符合上表参数条件之一者均属“大件”，但并不要求所有的大件设备一一列举，仅要求对变电站的主要大件设备，参数、运输难度最大的设备作重点描述，主要包括的设备应符合本标准第 8.2.1 条的要求。

8.2.2、8.2.3 项目的大件运输方案，在工程前期阶段应该已经初步确定，因变电工程大件设备运输参数较大，往往运输难度很大，电力设计院没有相关资质和能力确定其运输方案，根据相关文件规定委托有资质的单位编制了大件设备运输方案专题研究报告的，电力设计院应对其研究成果进行复核，并根据其结论确定大件运输方案及措施费。

“有资质的单位”的资质指的是道路运输经营许可证的大型物件运输资质最高为四类及电力大件运输企业承包资质最高为总承包甲级。

9 施工综合进度

9.2 施工工期设计内容

9.2.1 根据设计阶段所能达到的深度，这里规定了施工组织大纲中编制的施工综合进度的要求。更深、更细致的施工进度应由建设单位和施工单位再配合编制确定。

9.3 施工工期建议指标

9.3.1 随着近年施工水平和现场管理水平的提高，施工工期较早前有了一定程度的优化，但我国幅员辽阔，因地域、气候差异及各电建施工单位建设水平及人员配置不同，导致同类型工程施工实际工期有较大差距，加上各建设单位要求不一，存在不符合当前施工水平的建设工期情况，如何确定符合切合实际的合理工期，是值得深入研究和讨论的问题。这里主要参考了近年设计的各类型变电工程设计计划工期和施工单位实施的实际工期情况调研资料。制定了新建工程施工工期参考表，供参考使用。